삼촌 추락

연합 코러스와 함께하는 두 편의 서정적 강의

해리 삼촌

무대

무대 안쪽 중앙에 갠 침대보를 높다랗게 쌓은 더미가 몇 개 있고 한 사람(또는 둘)이 침대보를 털고, 개고, 다시 개고 있다. 무대 안쪽 왼편에는 편안한 안락의자. 무대 중간 오른편에 독서등과 마이크가 놓인 강단. 무대 중간 중앙에는 한 줄로 놓인 의자와 탁자.

등장인물

강사 1

강사 2

코러스: 피카소가 그린 초상화를 닮은 거트루드 스타인 네 명이 앉아 있다. 저마다 (한 번은 다 같이) 지목될 때마다 간단하게 들어서 얼굴을 가렸다가 내릴 수 있는 막대기에 단 거트루드 스타인 가면을 들고 있다. 4번 코러스는 메이블 도지[1]가 거트루드 스타인의 웃음소리를 이르며 말했듯이 '비프스테이크 같은' 웃음소리를 낸다. 1번, 2번, 3번 코러스는 좀 더 가벼운 음색을 낼 것이다.

(등장. 강사 1이 강단으로 간다. 강사 2는 안락의자로 간다. 코러스는 한 줄로 늘어놓은 의자로 간다.)

코러스 1

우리를 보면 누구나 거트루드 스타인이라는 걸 알지

코러스 2

우리는 코러스야

코러스 3

네 명으로 구성된 코러스

코러스 4

넷이 하나보다 나아

코러스 1, 2, 3, 4

이제 시작하지

(모두 가면을 쓴다)

강사 1

풍경

거트루드 스타인이 구릉을 보고 말했듯이, 그는 먼 것을 아주 가까이 끌어다 울타리로 삼는 사람이었습니다.

먼저 말씀드리자면 해리 삼촌은 제 삼촌이 아니라 아버지의 삼촌이었습니다. 저는 아이 때 그를 알게 됐지요. 그는 이미 노적가리 같은 흰머리와 옆으로 뻗은 철솔 같은 코밑수염이 달린 노인이었습니다. 그가 선 모습을 보면 늘 두 손을 바지 앞주머니에 넣고서 앞에서 불어닥치는 바람을 두 팔로 버티는 듯했습니다. 말하는 모습은 한쪽 입꼬리에 꼬나문 파이프를 이로 딱딱 씹어가며 다른쪽 입꼬리로 말하는 것 같았지요. 그는 큰낫질에는 선수였습니다. 그가 숙달한 기술 중에는 큰낫을 머리 위로 크게 한 바퀴 휘두르는 기술이 있었는데 보는 사람마다 감탄을 금치 못했습니다. 그 기술을 본 사람은 다 해봐야 몇이 안 됐습니다. 해리 삼촌은 일종의 은자였습니다.

자, 삼촌으로서는 이름도 들어본 적 없고, 생전에 했던 말 대부분에 동의하지도 않았겠지만, 어쨌든 해리 삼촌은 거트루드 스타인과 같은 해에 태어났습니다. 나는 풍경을 좋아하지만 풍경에 등을 돌리고 앉는 것을 좋아한다, 거트루드 스타인은 말했습니다. 저녁이면 해리 삼촌은 건초를 만들다 말고 서서 오랫동안 호수를 내려다보곤 했습니다. 너무 꼼짝 않고 서 있어서 영락없이 무엇엔가 귀를 기울이는 사람처럼 보였지요. 그가 듣지 못한다는 점만 빼면 말입니다. 그 시각의 호수는 군데군데 흑록색과 툭툭 찍힌 푸른색과 농밀한 금색이 어우러져 오래된 그림의 세부 같았습니다. 지는 해가 타오르며 그 풍경을 가로질러 길을 냈지요. 아비 새 울음소리와 메아리가 영원히 호수를 떠돌다 그 풍경 속으로 사라지곤 했습니다. 생의 끝에는 영혼이 몸을 떠나는 순간이 있다고들 하지요. 그때 소리가 나는지는 모르겠습니다. 아니면 소리가 스스로를 곧추세우는 그런 소리일지도요.

코러스 3, 4
그는 충만한 한 생을 살았어

코러스 2
상당한 늙은 괴짜였지

코러스 3, 4
아니 그는 동거인을 원하지 않아

코러스 2
그 가족들은 즐거웠을까

코러스 1
난 그렇다고 말하고 싶어

코러스 2, 3, 4
다시 말해줄래

코러스 1
나는 시적인 역사를 사랑해

(모두 가면을 쓴다)

강사 1

고독
그는 외로웠을까요. 저는 모르겠습니다. 일 년에 아홉 달을 그는 온타리오주 북부에 있는 농장에서 혼자 살았습니다. 가까운 마을은 8킬로미터나 떨어져 있고, 가까운 이웃들은 일정치 않았습니다. 호수 주변의 땅 대부분이 수년 전에 별장용 부지로 잘게 쪼개져 팔렸습니다. 별장 주인들은 계절을 따릅니다. 어떤 사람들은 크리스마스나 겨울 주말에 옵니다. 하지만 대부분은 8월 마지막 날에 별장을 폐쇄하고 이듬해 7월에 다시 나타납니다. 해리는 개와 말 두 마리와 구독하던 『내셔널 지오그래픽』 잡지와 함께 긴 겨울을 홀로 났습니다. 눈이 날려 처마까지 쌓였지요. 그는 보름에 한 번 생필품을 사러 건초용 마차를 타고 마을로 나갔습니다. 그는 볶은 소고기 통조림과 완두콩을 먹고 커피를 마셨습니다. 이따금 오 헨리! 초코바를 즐기기도 했지요. 아마도 5월 중순까지 그는 (난로가 있는) 부엌이라 부르는 방과 그 위층인 (난로 연통이 있는) 침실이라 부르는 농가의 두 방 안에서만 살았습니다. 다른 방들은 얼음과 밀담을 나누었죠.

그러다가 여름 석 달 동안에는 해리의 세계가 갑자기 번잡해지곤 했습니다. 별장 주인들이 돌아오고 우리도 그랬지요. 우리란 누구일까요. 해리는 제 아버지의 어머니인 에설의 형제였습니다. 에설에게는 제 아버지를 포함한 네 명의 자녀가 있었고 그들 모두에게 또 자녀들이 있었으며 그 자녀들 모두에게는 또 친구들이 있었습니다. 여름이면 매주 이 사람들이 적으면 셋 많으면 열 명 단위로 도착했습니다. 일단 명분은 이랬지요. "해리 삼촌네 가서 건초 들이는 일을 도와주자." 그게 그들이 사용한, 그러고는 호수에서 휴가를 즐기며 쓴 문구였습니다. 해리 삼촌의 생각은 아니었습니다. 저는 삼촌이 그런 얘기 하는 걸 들은 적이 없습니다. 그는 제 아버지와 삼촌들이 도통 낫질을 익히지 못하는 것을 놓고 논평을 하곤 했지요. 해리 삼촌은 3분 30초 만에 상처 하나 없이 가지런히 누운 풀줄기와 자기 코밑수염만큼이나 반듯한 공터를 남기며 100평방미터를 낫질할 수 있었습니다. 숱한 여름날 오후 목초지에는 얼굴이 벌개진 남자와 좌절이 있었습니다. 해리 삼촌은 변함없이 누구에게나 정중한 태도를 유지했습니다. 삼촌의 개(여러 개가 자리를 이었지만 이름은 늘 셉이었다)도 그랬고 말들(당시에는 불사신이었던 프린스와 플로렌스)도 그랬지요.

코러스 1
말들은 확실히 불사신이었어

코러스 2
말들은 대개 불사신이었어

코러스 3
말들은 어느 정도는 불사신이었어

코러스 4
그리고 털에서는 폭력의 냄새가 났지

코러스 1, 2
아주 오래된 겨울의 폭력

코러스 3, 4
지금은 어린 소녀들이 걸치고 있는

코러스 1, 2, 3, 4
이게 왜 문제가 되는지 설명해봐

코러스 1, 2
오 떨리는 방울이여

코러스 1
오 움찔거리는 방울은 똑같지 않았지

코러스 2
방울은 왜 방울이었을까

코러스 1, 2, 3, 4
똑같지 않았지

코러스 1
방울을 설명해봐

코러스 2
소녀들을 설명해봐

코러스 1, 2, 3, 4
아주 오래된 떨림을 설명해봐

코러스 1
소녀들은 똑같았던가

코러스 1, 2, 3, 4
오 굉장히

코러스 1
말들은

코러스 1, 2, 3, 4
오 굉장히

코러스 1
방울 오 방울은
오 떨고 있는 방울은 똑같지 않았지

(모두 가면을 쓴다)

강사 1
『내셔널 지오그래픽』
해리 삼촌이 아흔네 살에 정신병원에서 돌아가시자
아버지가 가서 농가를 정리했습니다. 주방을 제외한
모든 방이 바닥에서 천장까지 『내셔널 지오그래픽』
으로 꽉 차 있었습니다.

코러스 1, 2, 3, 4
거기에 얼마나 많은 자연현상이 있을까

강사 1
해리 삼촌의 침실은 문에서 침대까지 이어지는 좁은
통로와 난로 연통 주변을 도는 통로만 겨우 남아 있
었습니다. 그 냄새는 다들 짐작이 가실 겁니다.

코러스 1, 2
화산 그리고 그런 것들
그렇게 자주 그리고 그런 것들

강사 1

자, 여러분이 해리 삼촌을 만났다면 입을 모아 그가 엄청나게 많은 것에 관해 엄청나게 많은 것을 아는 사람이었다고 말할 겁니다. 그는 건초 만들기와 말과 날씨를 알았지만 바이올린의 역사나 운하를 건설하는 장소나 파푸아뉴기니의 화산에 관해서도 알았습니다. 열다섯 살 때, 귀가 먹은 그해에 학교를 그만둔 그가 어떻게 그렇게 됐는지는 수수께끼였지요.

코러스 3, 4

그는 쉬이 궁금해하지
그는 정확하게 기억하지

강사 1

삼촌 집에는 책이 많지 않았고 근처에는 공립 도서관 하나 없었습니다. 그가 『내셔널 지오그래픽』을 아주 꼼꼼하게 읽은 것이 분명했습니다.

코러스 1, 2, 3, 4

긴 겨울에는 아무것도 소용이 없지

강사 1

그의 마음은 뭐든 읽는 것마다 흥분을 발산했고 그것이 살고자 하는 그의 의지 속으로 들어왔습니다.

코러스 1, 2, 3

소음이 없으면 감자도 없다

코러스 4

그렇지만 화산은

강사 1

해리 삼촌에게 산다는 건 세상이 어떻게 돌아가는지

아는 것이었습니다. 그게 그가 가장 행복해지는 상태였지요.

코러스 1, 2
따라해봐 감자

코러스 3, 4
따라해봐 화산

코러스 4
따라해봐 그가 가장 행복해지는 상태

코러스 1, 2, 3, 4
그가 가장 행복해지는 상태

(모두 가면을 쓴다)

강사 1
에설 할머니
할머니는 키가 컸습니다. 180센티미터였지요. 뼈대가 굵었습니다. 엄격했고요. 할아버지는 1932년 토론토의 날에 백화점에서 심장 발작을 일으켰습니다. 어린 자식이 네 명이나 있었지요. 할머니는 남의 집을 청소하는 일을 하러 다녔습니다. 할머니의 커다란 손과 피부에서 나던 클렌징 크림 냄새가 기억납니다. 매일 깨끗한 홈드레스, 깨끗한 앞치마 차림이었지요. 전쟁이 끝난 직후에 바지를 입은 할머니가 햇빛을 받으며 해리 삼촌과 함께 호숫가에 서 있는 사진이 한 장 있습니다. 할머니는 머리에 머리핀을 꽂고 사진으로도 확연히 느껴지는 생생한 기쁨 같은 표정을 하고 있지만 평소의 모습은 아닙니다.

코러스 1, 2, 3, 4
거기에 얼마나 많은 자연현상이 있을까

코러스 1, 2
화산 그리고 그런 것들
소음이 없으면 감자도 없다

코러스 3, 4
그는 쉬이 궁금해하지
그는 정확하게 기억하지

코러스 1, 2, 3, 4
긴 겨울에는 아무것도 소용이 없지

코러스 1, 2
따라해봐 감자

코러스 3, 4
따라해봐 화산

코러스 2
따라해봐 그가 가장 행복해지는 상태

코러스 1, 2, 3, 4
그가 가장 행복해지는 상태

(모두 가면을 쓴다)

강사 1
해리 삼촌의 세상이 복잡해지자 에설 할머니는 누나
로서 여름 동안 동생을 보살펴야 한다는 책임감을 느
꼈습니다. 할머니가 6월부터 9월까지 농장에 머물렀

지요. 해리 삼촌의 삶이 조정됐습니다. 하루 세끼. 깨끗한 속옷. 욕설 금지. 해리 삼촌이 찬양해마지않는, 위스키 한 모금으로 하루를 시작하는 습관처럼 둘이 동의하지 않기로 동의한 지점들도 있었습니다. 삼촌이 늘 앉는 주방 식탁 상석 뒤에는 낮게 걸린 작은 선반이 있었습니다. 남의 시선이 닿지 않도록 먼지가 잔뜩 앉은 낡은 녹색 가죽을 압정으로 박아 가려놓았지요. 해리 삼촌은 아침 다섯 시에 일어나 난로에 불을 지폈습니다. 에설 할머니는 다섯 시 반까지 잠을 잤지요. 그래서 삼촌은 늘 아침 위스키를 마실 수 있었습니다. 하지만 할머니는 나이프로 완두콩을 먹는 건 철저히 금지했습니다. 삼촌이 완벽하게 숙달한 또 하나의 기술이었는데 말이죠. 어느 무더운 여름날에 사촌들과 삼촌들, 고모들과 함께 식탁에 둘러앉아 있던 때가 기억납니다. 빨간 격자무늬 유포 위에 놓인 대접들이 김을 뿜었지요. 고기, 으깬 감자, 당근, 완두콩. 뜨끈하고 든든한 점심이라고 에설 할머니가 말했습니다. 예의 식탁 끝자리에 앉은 해리 삼촌은 아무렇지 않게 나이프 위에 완두콩을 늘어놓고 있었습니다. 완두콩을 나이프 날 길이만큼 일렬종대로 나란히 늘어놓더니 나이프를 들어 칼 삼키는 묘기꾼 같은 동작으로 입안으로 찔러 넣었습니다. 흘린 완두콩 하나 없었지요. 해리! 에설 할머니가 앉은 식탁 맞은편에서 질책이 날아왔습니다. 그러자 해리 삼촌은 나이프를 기울여 완두콩들을 입안에 떨구고는 가만히 앉아 있었습니다. 아니 한 손을 들어 귀에 꽂았던 보청기를 빼서 접시 옆에 내려놓았습니다. 그러고는 다시 나이프 위에 완두콩을 일렬로 늘어놓기 시작했지요.

코러스 1
그들이 가고 나면 그는 달라질 거야

코러스 2

그리고 약속됐지 이 모든 조정이

코러스 3

오른쪽에서 왼쪽으로 옮겨갈지도

코러스 4

앞으로의 모든 조정을

코러스 1, 2, 3, 4

약속해 그들은 말하지

코러스 4

추위 기억하기

코러스 1

그들이 가고 나면 그는 달라질 거야

코러스 2

앞으로 그들은 말하지

코러스 4

그가 옳았던가

코러스 3

그가 버려졌던가

코러스 2, 3, 4

어쨌든 그는

코러스 1

추운 바깥에 있었던가

(모두 가면을 쓴다)

강사 1

이상한 질문

그 사람 은자랍시고 우쭐대는 사람이었어? 친구 벤이 물었을 때 저는 '참 이상한 질문도 다 있네' 싶어서 웃음을 터뜨렸습니다. 헤리 삼촌은 제가 만나본 사람 중에 제일 우쭐대지 않는 사람이었고 '은자'도 그가 쓸 만한 단어가 아니었습니다. 그는 혼자 있는 것을 좋아했지요. 그에게는 좋은 양복이 한 벌 있었는데, 매년 8월 말에 토론토에서 열리는 캐나다 전국 박람회에 갈 때 입었습니다. 그는 혼자 기차를 타고 갔지요. 모든 선시를 살펴보고, 모든 견본을 시험하고서 당일 밤에 돌아왔습니다. 삼촌은 그 검은 양복을 입은 채 묻혔습니다.

코러스 1

허영심은 방어물이 아니다

코러스 2

호수는 방어물이다

코러스 3

웃음은 방어물이다

코러스 4

그들은 그를 방어하지 않았고 나도 그랬다

(모두 가면을 쓴다)

강사 1

웃음

해리 삼촌은 '할 할 할'이라 말하는 만화 속 등장인물들처럼 거칠고 호탕하게 웃었습니다. 웃음은 입에 문 파이프를 피해 얼굴 양옆에서 나왔는데 그게 어쩐지 홉스가 웃음을 일컬어 '돌연한 의기양양함'[2]이라 말했듯이, 취중에 그의 온전한 존재가 슬쩍 드러난 듯해서 유쾌함이 더했습니다.

코러스 1

허영심은 방어물이 아니다

코러스 2

호수는 방어물이다

코러스 3

웃음은 방어물이다

코러스 4

그들은 그를 방어하지 않았고 나도 그랬다

코러스 1

그건 그렇고 눈이 비스듬히 왔다

코러스 2

가는 건 더할 나위 없이 즐겁지

코러스 3

다른 주(州)에서 나의 삶을 사는 건

코러스 1, 2, 3

그리고 누군가에게는 의무가 있을 거야

코러스 4
누군가에게는 쉼표가 소 낙인처럼 느껴질 거야

(모두 가면을 쓴다)

강사 1
호수
호수는 걸작이었습니다. 저는 그 호수를 마치 사람인 양 사랑했습니다. 그곳에는 은색 물가를 따라 은색으로 바람에 섞여드는 자작나무들이 있고 선창 양쪽에는 수영하는 사람들에게 감겨드는 수련이 자라고 있었습니다. 저는 종일 헤엄을 쳤지요. 우리는 다들 달리 할 일이 없을 때는 헤엄을 쳤습니다. 해리 삼촌은 헤엄을 치지 않았습니다. 삼촌은 열다섯 살 때 호수 깊이 급하게 잠수하다가 고막이 찢어지는 바람에 청력을 잃었습니다. 대신에 몹시 더운 여름날 오후에는 헛간에서 내려와 한동안 물가에 앉아 바람을 쐬곤 했습니다.

지도상에는 '페인트'라는 이름이 있다고 나오지만 늘 해리 삼촌의 호수라고 생각했던 그 호수에 관해서는 이야기할 게 더 있습니다. 한번은 제가 수술을 받았습니다. 그 뒤로 일이 좀 꼬였는데, 의사들이 합병증이라고 부르는 것이었습니다. 저는 고통에 휩싸인 채 몇 날 며칠을 병상에 누워 있었습니다. 그러다 다섯 번째 밤이 왔고 어떤 일이 일어났습니다. 전 그게 꿈은 아닌 것만 같습니다. 잠들었던 것 같지가 않거든요. 저는 그게 악마의 방문이었다고 생각합니다. 악마는 이런 형태를 취했습니다. 감은 눈 안으로 연속해서 TV 화면이 차례차례 들어왔습니다. 하나가 들어오면 앞서 들어왔던 하나가 사라지는 식이었습니다. 혼자서 계속 끽끽거리고 삑삑거리는 환한 화면에서는 어떤 이야기가 빠르게 전개되고 있었지요. 텔레비전이 원래 그러하니 그런 것에는 익숙하지만 이야기마다 저로서는 사악하다고 표현할 수밖에 없는 어떤 특질도 있었습니다. 제 말은 인간의 완전한 냉담함이나 고문의 정수 같은 잔인함 말입니다. 저는 그것을 악마라 부릅니다. 화면은 저마다 저를 그 사악함 속으로 빨아들이려는 의식을 발산하고 있었습니다. 그건 암흑, 암흑이 장악했다, 어딘가에서 거트루드 스타인의 목소리가 들리고 생사가 걸린 투쟁이라는 느낌으로 암흑이 계속되었습니다. 잡아끄는 그것에 대항해 제가 할 수 있는 유일한 일을 저를 해리 삼촌의 호수에 밀어넣고 계속해서 뒤쪽으로 그리고 더 뒤쪽으로, 다가오는 각각의 화면을 피해 멀리, 불쾌하기 짝이 없는 죽음의 흡인력을 피해 멀리, 헤엄치는 것이었습니다. 그곳에서 저는 몇 시간이나 계속해서 물 밑의 광막한 침묵 속에서 이리로 저리로 무게중심을 옮기는 붉은 수련 줄기들 사이를 헤치며 밤의 모든 분자를 채우는 텔레비전 화면들에서 쏟아져 나오는 죽음의 악취와 악마로부터 스스로를 멀리 더 뒤쪽으로 밀면서 헤엄쳤습니다. 어느 시점에서 그게 끝났거나 아니면 제가 깬 것 같은데 마치 지옥에 시달려 녹초가 된 기분이었습니다. 이 이야기가 여러분에게는 신파조로 들리겠지요. 하지만 저는 티끌과 찌꺼기 속에서 고통이 부글부글 끓어오르는 영혼 밑바닥에는 극단만이 있음을, 온화함이 없음을, 자비가 없음을 확신합니다. 자비는 호수에서 또는 삼촌에게서 옵니다. 당시에는 시간 개념이 없었지만 나중에 계산해보니 제가 호수에 있었던 그 밤은 수요일이었습니다.

저는 수요일이면 해리 삼촌과 고독에 관해서 다시 생각하게 됩니다. 이전에는 삼촌을 생각하는 것이 즐겁지 않았습니다. 정확해지는 것은 즐겁지 않습니다. 이

제 부분들이 바뀝니다. 저는 어느 수요일 밤 부엌 뒷 창문으로 어두운 1월과 어두운 침묵과 어두운 눈을 내다보는 삼촌을 봅니다. 저는 돌아서서 난로로 가서 뚜껑을 열고 난로 옆 고리에 걸어놓은 낡은 부지깽이 로 잔불을 휘젓는 그와 붉어지는 그의 얼굴을 봅니 다. 그는 뚫어지게 불을 내려다봅니다. 삼촌은 정당한 자기 왕국의 중심에 있습니다. 그가 다른 생각을 하 는 경우는 흔치 않습니다. 정확하게는, 다른 무언가를 생각하는 경우 말이죠.

코러스 1
주에 수요일이 하나라면

코러스 2
월에 수요일이 넷이라면

코러스 3
연에 수요일이 쉰둘이라면

코러스 4
텔레비전에 수요일이 일 만이라면

코러스 1, 2, 3, 4
그리고 그 모두가 하룻밤에 온다면

코러스 4
총 맞아 죽는 편이 나을 거야

코러스 3
사람들은 지금 너에게 삼촌이 무슨 소용이냐고 했지

코러스 2

뭔가 피울 것과 뭔가 씹을 것이 있으면 금방 좋아질 거야

코러스 1

나는 별 근거도 없이 그 붉은 스카프를 푸는 게 어떻겠냐고 했지

코러스 3

그건 아주 사소한 근거야

코러스 1, 2, 3, 4

정확하게 사람들이 말했지

(모두 가면을 쓴다)

강사 1

얼음

해리 삼촌이 가지고 있던 도구 중에서 제일 인상적인 것은, 심지어 쓰는 걸 한 번이라도 봤다면 쓸 줄 아는 사람의 손에서는 거의 초자연적이라 할 만큼 우아하고 명쾌한 도구가 된다는 데 여러분도 동의할 큰낫보다도 더 인상적인 것은 얼음 집게였습니다. 자기 몸집만큼이나 큰 집게가 얼음창고 외벽 고리에 옆으로 걸려 있었지요. 해리 삼촌도 수입이 좀 필요했습니다. 수입 일부는 별장 주인들에게 땅을 팔아서 마련했지요. 또 일부는 그 사람들에게 별장을 지어주고서 얻었고요. 그 뒤로 삼촌은 얼음 사업을 시작했습니다. 얼음은 여름을 나는 데 필수적인 물품이었습니다. 호수에서는 누구도 냉장고 같은 성가신 것을 신경 쓰지 않았습니다. 그렇게 먼 북쪽까지 배달이 될 리도 없거니와, 어쨌든 냉장고는 전기를 너무 많이 먹으니까

요. 사람들은 대체로 지하실에 아이스박스를 두었습니다. 아이스박스에는 자주 얼음덩어리를 넣어줘야 했지요. 4월 말쯤에 해리 삼촌은 프린스와 플로렌스를 데리고 호수로 나가 사방 1미터짜리 정육면체 덩어리로 호수를 갈라냈습니다. 얼음 집게를 이용해서 얼음덩어리를 들어 올려 건초 마차에 실었지요. 프린스와 플로렌스가 얼음창고로 이어진 좁은 길로 마차를 끌었습니다. 해리 삼촌은 얼음 집게로 얼음덩어리들을 마차에서 내려 얼음창고에 집어넣었습니다. 바짝 마른 금색 톱밥과 짚으로 싸인 얼음덩어리들은 그다지 대단해 보이지 않았습니다. 삼촌은 여름 내내 그 얼음덩어리들을 이 길 저 길로 날랐습니다. 기묘한 점은 삼촌에게는 아이스박스가 없었다는 거지요. 삼촌은 매일 정오가 되기 직전에 저를 집 뒤로 흐르는 시내로 보내 물이 깊고 세차게 흐르는 바위틈에서 우유 한 병을 꺼내오라고 시켰습니다. 제가 언젠가 유리를 깨물어본 적이 있었던 게 틀림없습니다. 왜냐하면 제 이와 입술과 손에 남은 기억, 그건 딱딱하고 차가운 유리의 느낌이니까요.

얼음에 관한 이야기가 하나 더 있습니다. 이 생각은 삼촌이 죽고 난 뒤에 떠올랐습니다. 그가 살아 있는 동안 4월에 농장에 간 적이 없어서 그에게는 연례 행사였을 그 소리를 저는 들은 적은 없습니다만, 혹시 스티비 원더의 콘서트에서 제일 앞줄에 앉은 귀먹은 아이들이 두 손과 팔을 무대에 올려 소리를 얻는 걸 보신 적이 있는지 모르겠습니다. 귀가 먹긴 했어도 삼촌은 초저주파 진동이라는 수단으로 저와는 다른 방식으로 그 소리를 들었을 겁니다. 얼음이 죽을 때는 마치 얼음 밑 깊은 곳에서 어떤 거대한 손가락이 호수 이쪽 끝에서 저쪽 끝까지 팽팽하게 매긴 활시위를 튕기는 듯한 어마어마한 소리가 납니다. 진동이 이쪽 물가에서 저쪽 물가로 호수를 가로지르지요. 어디든 가까이 있으면 우리도 같이 진동합니다. 그건 낮고 길고 빤히 쳐다보는 동물의 시선처럼 이상합니다.

코러스 1
'초(超)저주파'라는 단어를 좋아하는가

코러스 2
그것을 진화시키자

코러스 3
연구년을 맞은 거트루드 스타인이 되자

코러스 1, 2, 4
이제 너는 초문법적이다

코러스 3
네가 하프 모양으로 생긴 해리의 큰낫이라면

코러스 2
너는 초명석해질 것이다

코러스 3
네가 도시에서 온 해리의 조카라면

코러스 2, 4
너는 연민을 불러일으키는 목초지를 지나며 초불끈하고 초뻐끔거릴 것이다

코러스 1
해리의 나이프가 돼봐

코러스 2

초록색 완두콩들과 분투

코러스 3

제임스 조이스가 돼봐 (계속 뻔뻔해져봐)

코러스 4

너는 '초인간'이라는 단어를 발명했음을 알게 되겠지

코러스 1, 2

프린스와 플로렌스가 돼봐

코러스 3, 4

하지만 나는 거기로 못 가

코러스 1

우리가 무언가 살아 있는 실재 속으로 들어가는 걸
상상할 수 있다고 상상하는 건 좋아

코러스 1, 2, 3, 4

하지만 아니야

코러스 1

그건 정말 그렇지 않아

(모두 가면을 쓴다)

강사 1

수리

해리 삼촌은 수리와 재사용과 재정리에 능했습니다.
안경 모서리는 테이프로 감았고 코 양쪽을 눌러 붉은
자국을 남기는 코받침 밑에는 종이 뭉치를 댔습니다.

저마다 수리되고 개조된 양말과 작업용 덧옷, 트럭, 주방 싱크대 옆 펌프가 지금은 하나하나가 수집할 만한 물품이 됐지요. 기억 속에 있는 그 농가 방들을 아무리 누벼보아도 새것이거나 반짝이는 것은 전혀 보이지 않습니다. 삼촌이 쓰던 물건들에는 나태 같은 것이 깃들어 있지 않아서, 어느 것에서도 게으르고 경박한 기성품의 광택이라곤 찾아볼 수 없었습니다. 물건들은 하나같이 노동으로 묵직했고 언제나 말끔했지요. 그러다 방치의 시대가 시작되었습니다. 해리 삼촌은 많이 늙었습니다. 집 안에 쌓인 먼지와 변덕스럽게 오락가락하는 그의 기분 때문에 더는 아무도 농장에서 휴가를 보내지 않게 되었습니다. 프린스와 플로렌스가 죽었습니다. 헛간이 위태로워졌습니다. 아버지가 겨울에 북쪽으로 올라갔다가 노여움과 슬픔에 잠긴 채 돌아오셨지요. "해리 삼촌은 농장에서 나와야 해." 아버지는 말씀하시곤 했지요. "아무도 해리 삼촌한테 그 말을 못해." 아버지는 말씀하시곤 했습니다. 마침내 해리 삼촌이 다리에 괴저를 앓게 됐습니다. 해리 삼촌을 뺀 가족회의가 있었지요. 해리 삼촌을 뺀 모두가 결정을 내렸습니다. 아버지와 두 삼촌이 북쪽 농가로 올라가 해리 삼촌을 병원에 데려갔습니다. 괴저는 나았으나 의사들은 해리 삼촌의 치매 증상에 주목하게 됐지요. 그는 정신병동으로 보내졌고 다시는 집으로 돌아가지 못했습니다.

아버지와 함께 문병 간 일이 기억납니다. 정신병동은 견고한 철망 벽으로 건물의 다른 구역과 분리돼 있었고 조명도 달랐습니다. 해리 삼촌은 완전한 분노에 휩싸여 있었습니다. 다른 것은 아무것도 기억나지 않습니다. 삼촌이 무슨 말을 했던 것 같지도 않습니다. 우리는 그 환한 방에 그를 두고 나왔습니다. 아버지가 관리자 사무실에 들르는 동안 저는 의자에 앉아

기다렸습니다. 몇 년 후 해리 삼촌과 아버지가 다 돌아가신 뒤에 저는 아버지 책상에서 관리자가 보낸 서류를 모아놓은 서류철을 발견했습니다. 서류마다 침대보와 담요에 관한 항목별 청구서가 들어 있었습니다. 침대보와 담요가 지급될 때마다 해리 삼촌이 손으로 찢어버렸던 것입니다.

자연현상은 안 보려 해도 안 보기가 힘들다, 거트루드 스타인은 말하지만 우리 안 볼 수 있을까요. 우리 저 문장을 바꿀 수 있을까요.

코러스 3
문장은 네가 내 말을 이해한다고 말하네

(모두 가면을 쓴다)

강사 1
해리 삼촌이 살아 있고 깔끔했던 때로, 세상에 그가 수리할 수 있다고 생각했던 것들이 여전히 있던 때로 돌아갈 수 있을까요. 어느 가을에 이런 일이 있었습니다. 해리 삼촌이 막 노년에 접어들던 참이었습니다. 삼촌 중에 이름이 켄인 분이 있는데, 해리 삼촌이 농장에서 나와 도시 가까이에 사는 게 더 나을 거라는 판단을 했지요. 켄 삼촌은 해리 삼촌의 농장에서 640킬로미터쯤 떨어진 손님용 방이 딸린 농가 양식의 집에서 살았습니다. 켄 삼촌이 어떻게 해리 삼촌을 설득해서 차에 태웠는지는 아무도 모를 일입니다.

코러스 3
문장은 말하네

코러스 4
문장은 말하네

코러스 3, 4
문장은 네가 내 말을 이해한다고 말하네

강사 1
어쩌면 그냥 잠깐 자기 집에 다녀오자고 했는지도 모릅니다. 둘은 차를 타고 남쪽으로 향했습니다. 해리 삼촌은 이내 창으로 바비큐 그릴이 있는 뒷마당 테라스와 가지런히 가지치기한 삼나무 울타리가 내다보이는 켄 삼촌네 손님방에 서게 되었습니다. 해리 삼촌은 잠을 자지 않았습니다. 며칠 낮과 며칠 밤이 흘렀습니다.

코러스 1, 3, 4
문장은 네가 내 말을 이해한다고 말하네

코러스 2
삽질은 어때

코러스 3
시간은 어때

코러스 1, 2, 4
문에서 멀리 떨어져 있기는 어때

강사 1
한밤중에 해리 삼촌이 예의 검은 양복과 깨끗한 흰 셔츠와 넥타이를 갖춰 입었습니다. 그러고는 뒷마당 테라스로 나가 한동안 잔디밭에 서 있었지요. 그는 밤을, 밤의 동요를, 고개를 드는 밤의 방식을 들이마

섰습니다. 그는 방향을 확인했습니다. 그는 북쪽으로 발걸음을 옮겨 뒤뜰과 작약 꽃밭과 다른 사람들의 잠을 가로질렀습니다. 그는 호수 쪽으로 걸었습니다.

(무대 안쪽에서 침대보를 개고 있던 인물이 무대 앞쪽 중앙으로 침대보를 가지고 나와 천천히 찢기 시작한다. 끝날 때까지 계속한다)

코러스 1
우리가 학대를 방치했던가

코러스 2
유리는 불투명 유리가 되지

코러스 1
한 가족이 있다고 치자

코러스 4
그 문에는 가까이 가지 마

코러스 2
거기에는 질문 아닌 질문이 따라오지

코러스 1
가족에게는 유용한 지식이 있어

코러스 3
문장은 네가 내 말을 이해한다고 말하네

코러스 1, 2, 3, 4
아니라고 치자

코러스 1, 2, 3
어느 고독한 남자가 숲을 뚫고 태양을 하나 더 가졌
다고 치자

코러스 1, 2, 3, 4
넌 어떻게 그 문에 가까이 가지 않을 수 있지

코러스 3
그리고 누구가에게는 쉼표가 소 낙인처럼 느껴질 거야

(모두 가면을 쓴다)

강사 1
우리 대단원이 필요할까요
누구나 대단원이 필요하지요
'대단원'

코러스 2, 3, 4
그는 충만한 한 생을 살았지

코러스 2
그는 보자마자 움켜잡았어

코러스 3
가장 아름다운 소리

코러스 2, 3, 4
지금 일어나고 있는 것의 소리

코러스 1
그거 다시 해줄래

코러스 2, 3, 4
그렇게 할게

코러스 3
이게 왜 문제가 되는지 설명해봐

코러스 3
그렇게 할게

코러스 4
강렬한 움직임이 있어

코리스 2, 3, 4
아무 데도 가지 않는 듯이 보이는 것도

코러스 1
그거 다시 해줄래

코러스 2, 3, 4
아니. 이게 끝이야

코러스 1
이런 끝은 없어

(침대보를 찢고 있던 인물이 조각들을 떨구고 허리를 깊숙이 숙여 관객들에게 절하고 짧은 암전 사이에 퇴장한다.)

(짧은 암전)

(불이 켜진다. 강사 2가 무대 오른쪽 강단으로 간다.
강사 1이 무대 안쪽에 있는 안락의자로 가고 의자의
위치를 옮길 수도 있다. 코러스가 일어선다. 각자 자
기 의자를 몇 발자국 뒤로 옮긴다. 다 함께 탁자를 의
자 쪽으로 끌어당긴다. 모두 자리에 앉는다.)

코러스 1
보다시피 우리야

코러스 4
또 넷이지

코러스 2
또 거트루드 스타인이고

코러스 3
또 시작이야

코러스 1, 2, 3, 4
'헬멧'이라는 단어로 시작하자

(모두 가면을 쓴다)

강사 2
'헬멧'이라는 단어로 시작합니다.
이 강의는 추락에 관한 강의입니다.

영어에서 '헬멧(helmet)'이라는 단어는 지옥을 뜻하

는 단어 '헬(hell)'과 어원이 같습니다. 둘 다 '숨기다'라는 뜻인 고대 고지 독일어 '헬란(helan)'에서 왔지요. 머리를 효과적으로 잘 숨기면 빗발치는 위험 속에서도 살아남을 수 있습니다. 죽은 자들과 저주받은 자들의 왕국을 잘 숨기면 땅 위에서의 시간을 더 잘 즐길 수 있을 겁니다. 양쪽 다 일종의 방어인 셈이지요. 우리는 추락하지 않으려고 최선을 다합니다.

일종의 방어, 일종의 망상. 추락하기는 무엇보다 우리가 가장 먼저 취하는 움직임입니다. 호메로스가 말하듯이, 인간은 태어날 때 어머니의 두 무릎 사이에서 추락하지요. 땅으로요. 우리는 마지막에 또 추락합니다. 땅 위에서 시작된 것은 영원히 땅속으로 스며드는 것으로 끝날 것입니다.

저는 추락하는 몸뚱어리들을 생각하기 시작했다가 이내 더 큰 물체를, 그러고는 제국을, 민족을, 존재의 상태 전부를 생각합니다. 몸뚱어리는 온전하게 또는 조각난 채 추락할 겁니다. 곧장 땅으로 또는 여기저기로, 치명적으로 또는 불멸의 상태로. 호메로스의 『일리아스』 제17권에서 아킬레우스의 불사하는 말들이 갈기를 드리워 땅에 닿을 때, 그건 잘못된 범주의, 일어나서는 안 될, 거의 죽음과 같은 일이 됩니다. 말들이 스스로를 더럽힌 겁니다.

코러스 1
그 말들의 찬란한 갈기

코러스 2
진흙이 묻었지

코러스 3
나란히 전차를 끌다가

코러스 4

전차를 매단 멍에를 쓰고 있다가

코러스 1

호메로스

코러스 2

『일리아스』

코러스 3

제17권

코러스 4

434절

강사 2

고귀한 파트로클로스가 헥토르와 싸우기 위해 아킬레우스의 헬멧을 빌려 쓰고 헥토르가 그의 머리를 쳐서 헬멧을 벗겨내고 헬멧이 말들의 다리 사이로 구르는 때도 마찬가지인데, 이는 일이 잘못되어가고 있음과 죽을 운명처럼 보이지 않던 사람들이 갑자기 죽을 운명이 되었음을 의미합니다.

코러스 3

지금까지는

코러스 4

허락되지 않았어

코러스 1

말총으로 장식한 그 위대한 헬멧이 먼지 속에 뒹구는 것은

코러스 2
그보다는 그 머리통과 우아한 눈썹을 지켰지

코러스 3, 4
신과 같은 아킬레우스

코러스 1
그리고 이제

코러스 2
제우스는 그걸 헥토르에게 쓰라고 건네주었네

코리스 1
헥토르

코러스 1, 3, 4
죽음이 목전에 다다른 헥토르

코러스 2
호메로스 『일리아스』 제16권 796절

(모두 가면을 쓴다)

강사 2
헬멧은 문명만큼이나 오래되었습니다. 고고학자들이
헬멧을 찾는 빈도가 칼이나 창, 도끼보다 드물다는
건 헬멧이 지배자들이나 부자들, 또는 부자처럼 보이
고자 했던 이들의 귀중한 소유물이었음을 암시합니
다. 헬멧은 세 종류의 매장지에서 모습을 드러냅니다.
습지와 강, 보물창고, 무덤입니다. 습지에 묻혔거나
강에 던져진 헬멧은 공물, 즉 신에게 바쳐진 제물이었
습니다. 보물창고에서 발견되는 헬멧은 개인적으로

사용하려고 간직해둔 것이었죠. 무덤에 놓아둔 헬멧은 저승까지 주인을 따라가서 그곳에서도 영원히 주인을 돌보이게 하라는 의미였습니다. 유족들 입장에서 보자면 아주 값비싼 선택이었고, 일부 무덤에서 발견되는 회반죽으로 만든 복제품으로 미루어볼 때, 어떤 유족들에게는 너무 고통스러운 선택이었던 겁니다. 아버지가 돌아가셨을 때 느꼈던 고통이 떠오릅니다. 장례식장 측은 견고한 청동에서부터 합판에 이르는 세 가지 재질의 관을 보여줍니다. 여러분의 아버지가 아무리 근검절약하는 분이었다고 해도 자기 입으로 이런 말을 내뱉는 걸 듣고 있기는 힘들죠.

코러스 1, 2, 3, 4
'합판으로 해주세요'

강사 2
'합판'. 이상한 단어입니다. 합판은 기원전 3500년경부터 있었습니다. 고대 이집트인들이 얇은 나무판의 강도를 높이기 위해 나뭇결이 직교하도록 여러 장을 겹쳐 접착함으로써 합판을 발명했습니다. 합판은 기술적으로 가공된 최초의 나무였습니다. 아버지는 원래 기술자가 되고 싶으셨죠. 언젠가 그렇게 말씀하시는 걸 들은 적이 있습니다. 하지만 어느 날 오후에 아버지의 아버지가 토론토 백화점에서 심장마비로 쓰러져 사망하시고 아버지의 어머니에게는 돈을 벌 만한 아무 기술이 없는 데다 아버지의 형제자매들은 아직 어렸으니, 아버지는 고등학교를 중퇴하고 은행에 취직해서 늙을 때까지 거기서 일했습니다. 제겐 아버지가 은행에서 일하기 시작한 첫해인 1932년에 찍은 아버지의 사진이 있습니다. 하얀 셔츠와 재킷과 넥타이를 갖춰 입은 아버지가 광대한 들판이나 바다를 내다보는 듯이 은행 출납계 창구 안에서 바깥의 카메라를 뚫어지게 쳐다보며 서 있습니다. 어찌나 꼿꼿하게 서 있는지 둥근 천장 속으로 거꾸로 추락하는 것만 같습니다.

아버지가 1945년에 비행기에서 떨어질 때도 거꾸로였습니다.

아버지가 쓰고 있던 헬멧은 척추 손상과 전쟁이 끝날 때까지 발트해 연안 포메라니아에 있던 포로수용소에 수감되는 것을 막아주지 못했습니다. 아버지가 포로수용소에 있던 시절 얘기를 하시던가요? 아니요, 말씀이 없었습니다. 우리는 말수가 적은 가족이었지요. 아버지는 가끔 그때 꿈을 꾸고는 소리를 지르며 깨어나셨지만 그게 아침 식사 자리에서 이런저런 일화를 꺼내는 것으로 이어지지는 않았습니다. 제가 아버지의 전쟁에 관하여 아는 것 대부분은 아버지가 돌아가셨을 때 남은 서류들 틈에서 찾은 공책 한 권에서 나왔습니다. 촘촘하게 줄이 쳐진 내지와 양방향으로 두 가지 용도로 사용할 수 있는 힐로이표 암적색 공책. 아버지는 역방향 내지에 『럭키 앳킨슨의 공인 회계 원리』라는 책에 나오는 정의와 예제 들을 옮겨놓으셨지요. 아버지가 어디서 럭키 앳킨슨의 회계 교과서를 손에 넣었는지는 모를 일이지만 아마 전쟁이 끝나고 돌아왔을 때 일하던 은행에서 승진을 노려볼 속셈이었던 게 분명하지요. 아버지는 시간을 알차게 쓰는 걸 좋아하셨습니다.

코러스 1
복식부기는 상인에게 완전한 기록을 보장해주는 유일한 체계지
　　코러스 2
　　단식부기는 이거나 마찬가지야

코러스 1

사업상 거래 기록을

　　코러스 2

　　아무 관련 없이 적어놓은

　　코러스 1, 2, 3, 4

　　메모지 뭉치

코러스 2

모든 거래에는 두 요소가 있고 반드시

　　코러스 1

　　모든 거래에는 두 요소가 있고 반드시

　　코러스 1, 2, 3, 4

　　동시에 기록되어야 해

코러스 1

둘로

코러스 2

명확하고 깔끔한

　　코러스 1, 2, 3, 4

　　원장계정들

　　코러스 4

　　하나는 대변(貸邊)에

　　코러스 2

　　하나는 차변(借邊)에

　　코러스 1

　　전체 시산표(試算表)는

　　코러스 2

　　가끔

　　코러스 3

　　뒤숭숭할 정도로

　　코러스 4

　　불완전하지

코러스 1, 2, 3, 4
이제 두 총계가 맞는지 봐

강사 2
아버지는 순방향 내지에 1945년 4월 13일부터 시작하는 제1 루프트 포로수용소 마지막 달의 일기를 적었습니다. 회계 예제들과 일기들 사이에 여기저기 목록들도 있었습니다. 여러 포도주와 시음법에 관한 목록이었습니다.

코러스 1
'보르도 루주(Bordeaux rouges)'

코러스 3
구운 가금육류

코러스 2
'보르도 블랑(Bordeaux blancs)'

코러스 4
생선과 오르되브르[3]

코러스 3, 4
정찬 코스 요리들과 두루 잘 어울리는 샴페인은

코러스 1, 2
값비싼 말들처럼 우리를 불태울 수 있지

코러스 1
'발 드 루아르(Val de Loire)'

코러스 2
맑고 달지 않고 경쾌하지

코러스 3

마셔도 머리가 아프지 않아

코러스 4

하지만 다리는 무거워져

코러스 1

'샤토뇌프 뒤 파프(Chateauneuf du pape)'

코러스 2

다채롭고 풍성한 향

코러스 3

그리고 이것이 조금이라도 당신의 행동에 영향을 주
지 않는다면

코러스 1, 2, 3, 4

그건 상당히 이례적일 것

강사 2

포도주 목록과 함께 아버지가 좋아하는 시 구절 목록
도 있었습니다.

코러스 1

나는 나이며 나일 것이다[4]

코러스 2

하지만 나는 아무것도 진정으로 알지 못하고

코러스 3

악해져라

코러스 4
선해져라

코러스 3
나를 속박하라

코러스 4
나를 자유롭게 하라

코러스 1, 2
나는 나이고 나일 것이다

코리스 4
(토머스 와이엇)

강사 2
거기에는 아버지가 책을 읽다가 막혀서 사전을 찾아
보았던 단어 목록도 있습니다.

코러스 1
산탄

코러스 2
하제

코러스 2
판권

코러스 4
박명

코러스 1, 2, 3, 4
포화

강사 2
그리고 알아두면 좋을 러시아어 구절 목록도요.

코러스 4
니 스트렐랴이

코러스 1, 2, 3
쏘지 마세요

코러스 4
야 호추 피츠

코러스 1, 2, 3
목이 말라요

코러스 4
키르 치스댜이

코러스 1, 2, 3
우리 왜 숨죽이며 말하지

(모두 가면을 쓴다)

강사 2
공책에 적힌 아버지의 손글씨를 보는 것이 제게는 충격(하지만 이게 정확한 단어는 아닙니다)이었습니다. 글씨는 오른쪽으로 심하게 기울어졌지요. 아버지의 활달한 서체는 종이를 눌러 글씨 자국을 남기고, 때로는 종이를 '통과'하기도 합니다. 아버지는 여러 가지 펜으로 글을 썼고 하루는 연필로 썼는데 지금은 색이 바래 읽을 수 없습니다.

저는 그 문체가 좋습니다. 아버지는 주의 깊고, 가엾고, 말을 아낍니다. 아버지는 일기 쓰기에 찬동하지 않습니다. 아버지는 아무 할 일 없이 포로수용소에서 빈둥거리는 것을 좋아하지 않습니다. 하지만 그는 거기 있고 세상은 바뀌고 있지요. 그는 펜을 듭니다. 저는 아버지의 이 명쾌함을 인정합니다. 일기 자체는 일상의 사실을 기록한 것이고, 아버지가 포로수용소를 떠나던 날에 갑자기 중단됩니다. 아버지는 평생 다시는 그런 걸 쓰지 않으셨죠. 하지만 말씀드렸듯이, 저는 그 문체가 좋습니다. 거기엔 한 남자의 내밀한 지점들로 들어가는 길이 있습니다. 블랑쇼가 어딘가에 이런 구절을 썼지요. "우리 안에 있으면서 우리 영혼이기도 한 평온함과 불확실성의 저수지." 제 생각에, 타인에게서 그것을 목격하는 일은 드뭅니다. 자기 아버지에게서는 말할 것도 없고요.

저는 강의안 쓰는 걸 좋아합니다. 제일 좋아하는 부분은 아이디어들을 연결하는 것이지요. 최고라고 할 수 있는 연결들은 저마다의 약점으로 사람들의 주의를 끌어서 처음에는 '이건 웬 형편없는 강의야, 사방에 아이디어들이 널려 있네'라고 생각하게 만들지요. 그러다 나중에는 이렇게 생각하게 됩니다. '하지만 그래도, 이 얼마나 지독하게 위험한 짓인가, 의식이라 부르는 것, 이성이라, 토론이라, 대화라 부르는 것을 만드는 데까지 나아간 인간 죄악의 모든 가닥을 이어내는 이 짓은. 어떤 생각과 어떤 생각 사이의 연결망이란 얼마나 가볍고 얼마나 느슨하고 얼마나 느닷없고 불가항력적이란 말인가.'

코러스 1
여기 한 생각이 있어

코러스 2, 3
여기 또 하나

코러스 1, 2, 3, 4
여기서 거기까지 가는 건 어때

코러스 4
공중에서 시간을 좀 보내는 건 어때

코러스 3
그건 대체로 그 사실에 달렸지

코러스 2
사람은 추락한다는

코러스 1
또는 추락하지 않는다는

(모두 가면을 쓴다)

강사 2
엘리자베스 스트렙은 무용수들에게 10미터 높이에서
마치 날 듯이 엎드린 채 아니면 반듯이 눕거나 모로
누운 채 곧장 추락하도록 가르치는 브루클린의 안무
가입니다. 무용수들은 별처럼 순식간에 추락하고 그
한순간 신처럼 보입니다. 우리가 대개 아주 젊거나 아
주 늙거나 아주 난감하거나 아주 자신을 주체하지 못
하는 것과 연관시키는 행위인 추락의 치욕을 무용수
들이 만회합니다. 추락한 그들은 멋지게 튀면서 거의
순식간에 자기 몸과 동작의 통제권을 다시 얻습니다.
그들이 추락하는 것을 보면 우리 안에서 말로 표현할
수 없는 기묘한 갈망이 끓어오릅니다. 그건 아마도

스트렙이 '진정한 움직임'이라 부르는 것에 대한 갈망이겠지요. 무용수들이 그것을 시연하는 것은 아닙니다. 그저 모방하지요. "진정한 움직임은 우리 뼈와 살을 분리해버릴 겁니다." 스트렙은 말합니다. "인간은 그것에 깃들어 살 수 없어요."

스트렙과 무용수들은 계획적으로 추락함으로써 진짜 추락을 모방합니다. 어느 날 그녀와 이런 얘기를 나눌 기회가 있었습니다. "중요한 것은 추락이 아니라, 충돌을 어떻게 받아들이느냐입니다." 그녀가 말했습니다. "흥미로운 인간의 복잡성에 관한 영역이지요." 스트렙 연구소의 무용수들에게는 강한 척추뼈와 효과적인 훈련, 그리고 충돌을 받아들이는 법에 관한 이론이 있습니다. 돌발적인 요소는 관리됩니다. 대참사는 일상적인 결과가 아니지요. 무용수들과 관객들 양쪽에 여전히 공포가 팽배하지만, 그 공포는 빙빙 도는 비행기에서 그냥 추락할 때의 격렬하고 숨 막히는 공포가 아니라 긴장감이나 연극적인 돌발 상황에서 오는 좀 더 부드럽고 복잡한 공포입니다.

아버지가 떨어지면서 소리를 질렀을지 궁금합니다. 저는 스트렙 무용수들이 공연하면서 서로 말을 주고받으며 격려한다는 것을 알아챘습니다. 움직이거나 움직임을 준비하는 내내 그들을 서로 연결해주는 꼭 필요치는 않으면서도 효과적인 언어의 그물망이, 그들의 상호작용을 안전하게 확보해주는 신호와 숫자 세기와 격려의 체계가 있습니다. 그들이 으스대며 공중을 걷거나 손을 놓고 떨어질 때 그들의 밑과 주변에 펼쳐지는 것은 입을 벌리는 위험이 아니라 어떤 유형의 신뢰입니다. 언어는 그것의 신호이지요. 저는 평생 아버지와 제대로 대화를 나눠본 적이 없습니다. 아버지는 똑 부러지게 말을 잘하는 사람이었고, 우리는 서로를 썩 좋아했고 평생에 걸쳐 필요할 때나 재미있는 것을 봤을 때 툭툭 말을 주고받았습니다. 하지만 서로 얼굴을 마주하고 앉아서 뭔가 실질적인 얘기를 나눈다는 생각은 둘에게는 벼랑에 걸쳐놓은 실 위를 걷는 것처럼 두려운 일이었습니다. 우리는 우리 사이에 소리 대신 침묵을 간직했습니다. 커다란 불안정한 침묵이었지요. 왜 그랬는지는 모르겠습니다. 아마 1945년뿐만 아니라 평생에 걸쳐 아버지가 '충돌을 받아들이는' 방식이 과거든 현재든 미래든 침묵이야말로 어떤 충격이라도 흡수해줄 헬멧이라도 되는 양 아버지 자신을 언어와는 아주 멀고 깊은 곳에 데려다놨기 때문이겠지요. 저는 아버지가 마음에 들어하지 않는 남자와 결혼한 적이 있습니다. 하지만 어쨌거나 아버지는 저를 차에 태우고 두 시간 거리의 교회에서 치러진 결혼식에 데려다주셨고 운전하는 동안 딱 한마디만 하셨지요. "그래, 넌 그놈이 배신하지 않을 거라고 생각해?" "네." 저는 대답했습니다. 그리고 우리는 잠자코 길을 갔지요.

인간의 추락에는 두 종류의 속도가 있습니다. 무게를 가진 육체가 여기에서 저기까지 얼마나 빨리 떨어지는가가 하나입니다. 그와 전혀 다른 하나는 한평생에 걸친 추락 유형입니다. 아버지는 해리 삼촌과 마찬가지로 치매라는 암울한 현실에 갇히고 말았습니다. 해리 삼촌을 돌봤기 때문에 아버지는 치매가 마음을 산산조각 내는 데 걸리는 15년 정도의 시간 동안 자신에게 어떤 일이 일어날지 알았습니다. 하지만 안다고 해서 막을 수 있는 건 아니지요.

코러스 1
속도가 솔직하다면

코러스 2

색은 경솔해

코러스 3

헬멧에 속이 대어져 있다면

코러스 4

타격을 약화시키겠지

코러스 1

추락하지 않도록 최선을 다하는 건 어때

코러스 2

반드시 추락해야 한다면

코러스 1, 3, 4

(그리고 넌 반드시 추락해야 하지)

코러스 2

추락에 최선을 다해봐

코러스 3

순식간에

코러스 1, 2, 4

신처럼

코러스 3

생각처럼

코러스 1

시산표처럼

코러스 4
부채 없음 평균 만기 없음

코러스 3
유감 없음 수정 없음

코러스 1
마치 삶이 단순한 견본인 듯이

코러스 2
끝을 낼 수단의

코러스 1, 2, 3, 4
이런 끝은 없어

강사 2
제겐 이런 끝이 있지요

(강사 1과 강사 2가 무대 앞쪽으로 간다)

강사 2
여기 인용문이 하나 있습니다

강사 1
아리스토텔레스 저(著)

강사 2
『동물지』

강사 1
제 16장

강사 2

해면(sponge)에는 세 가지 종이 있다

강사 1

첫 번째는 느슨한 다공성 구조다

강사 2

두 번째는 좀 더 촘촘한 구조다

강사 1

세 번째는

강사 2

('아킬레우스의 해면'이라는 별명이 붙은)

강사 1

예외적으로 곱고 촘촘한 구조에다 튼튼하다

강사 2

이 해면을 헬멧의 안감으로 쓴다

강사 1

타격 소리를 약화시키는 것이 그 목적이다

강사 2

이것은 매우 진귀한 종이다

강사 1, 강사 2 그리고 코러스 1, 2, 3, 4
끝

(가면을 든 이는 모두 가면을 쓴다)

¹ 메이블 도지 루언(Mabel Dodge Luhan, 1879~1962)은 미국의 부유한 예술후원자다.

² 철학자 토머스 홉스는 『리바이어던』에서 웃음을 다른 사람의 결함이나 자기 자신의 이전 결함과 비교하여 우월함을 느꼈을 때 갑작스럽게 터져 나오는 승리의 감정이라고 말했다.

³ 코스 요리에서 본식 전에 식욕을 돋우기 위해 마련되는 간단한 음식을 말한다. 영어의 에피타이저를 뜻한다.

⁴ 16세기 영국에 소네트 양식을 처음으로 도입했다고 알려진 영국의 정치인이자 시인 토머스 와이엇(Thomas Wyatt, 1503~1542)의 시 「나는 나이고(I am as I am)」의 첫 연이다.